FICHA CATALOGRÁFICA

(Preparada na Editora)

Xavier, Francisco Cândido, 1910-2002.

X19m   Meditações Diárias / Francisco Cândido Xavier, Espírito Emmanuel. Araras, SP, 1ª edição, IDE, 2009. 160 p.:

ISBN 978-85-7341-449-3

1. Espiritismo 2. Psicografia. I. Emmanuel. II. Título.

CDD -133.9
-133.91

Índices para catálogo sistemático:

1. Espiritismo 133.9
2. Psicografia: Espiritismo 133.91

EMMANUEL

MEDITAÇÕES DIÁRIAS

ISBN 978-85-7341-449-3

1ª edição – junho/2009
15ª reimpressão – setembro/2024

Copyright © 2009,
Instituto de Difusão Espírita - IDE

Conselho Editorial:
Doralice Scanavini Volk
Wilson Frungilo Júnior

Produção e Coordenação:
Jairo Lorenzeti

Capa:
César França de Oliveira

Diagramação:
Maria Isabel Estéfano Rissi

Parceiro de distribuição:
Instituto Beneficente Boa Nova
Fone: (17) 3531-4444
www.boanova.net
boanova@boanova.net

INSTITUTO DE DIFUSÃO ESPÍRITA - IDE
Rua Emílio Ferreira, 177 - Centro
CEP 13600-092 - Araras/SP - Brasil
Fones (19) 3543-2400 e 3541-5215
CNPJ 44.220.101/0001-43
Inscrição Estadual 182.010.405.118

www.ideeditora.com.br
editorial@ideeditora.com.br

Todos os direitos reservados. Nenhuma parte desta publicação pode ser reproduzida, armazenada ou transmitida, total ou parcialmente, por quaisquer métodos ou processos, sem autorização do detentor do copyright.

Psicografado por
Chico Xavier

Pelo Espírito

Emmanuel

Meditações Diárias

ide

índice

dia a dia 8

rogativa e cooperação 12

reequilíbrio 16

se todos perdoassem 20

dia e noite 24

não te impacientes 28

conclusão da vida 32

estrela oculta 36

se procuras a paz 40

repreensão 44

em todos os caminhos 48

itens da irritação 52

vibrações 56

na edificação da fé 60

defendamo-nos 64

disciplina 68

prece antes e depois 72

dever 76

na hora do desânimo 78

ação e oração... 82

imunização espiritual 86

questão de valor... 90

tesouros.. 94

aprendamos a dividir 98

vida 102

dia de Deus.. 106

mudança de plano 110

emergência... 114

ideia dirigida 118

agradeçamos a Deus 122

felicidade.. 126

oração nossa... 130

Deus te sustentará...................................... 134

resposta fraternal.. 138

aprendizado de amor 142

diante da rebeldia 144

na hora da crítica 148

mais vale 152

Emmanuel, *Hércio M.C. Arantes*.................. 156

Mensagens selecionadas dos livros:

Caminho Espírita, Caridade, Encontro de Paz, Fonte de Paz, Mãos Marcadas, Passos da Vida, Paz e Renovação, Seara de Fé, Servidores no Além, Tempo de Luz, Visão Nova. Edições IDE Editora.

dia a dia

Nas curtas viagens do dia

a dia, todos nós encontramos o próximo, para cuja dificuldade somos o próximo mais próximo.

Imaginemo-nos, assim, numa excursão de cem passos que nos transporte do lar à rua. Não longe, passa um homem que não conseguimos, de imediato, reconhecer.

"Quem será?" – perguntamos em pensamento.

E a Lei de Amor no-lo aponta como alguém que precisa de algo:

se vive em penúria, espera socorro;

se abastado, solicita assistência moral, de maneira a empregar, com justiça, as sobras de que dispõe;

se aflito, pede consolo;

se alegre, reclama apreço fraterno, para manter-se ajustado à ponderação;

se é companheiro, aguarda concurso amigo;

se é adversário, exige respeito;

se benfeitor, requer cooperação;

se malfeitor, demanda piedade;

se doente, requisita remédio;

se é dono de razoável saúde, precisa de apoio a fim de que a preserve;

se ignorante, roga amparo educativo;

se culto, reivindica estímulo ao trabalho, para desentranhar, a benefício dos semelhantes, os tesouros que acumula na inteligência;

se é bom, não prescinde de auxílio para fazer-se melhor;

se é menos bom, espera compaixão, que o integre na dignidade da vida.

Ante o ensino de Jesus, pelo samaritano da caridade, poderemos facilmente entender que os outros necessitam de nós, tanto quanto necessitamos dos outros. E, para atender às nossas obrigações, no socorro mútuo, comecemos, à frente de qualquer um, pelo exercício espontâneo da compreensão e da simpatia.

rogativa e cooperação

Rogamos a assistência e o

poder de Deus, em nosso benefício, entretanto, é forçoso lembrar que Deus igualmente espera por nosso apoio e cooperação.

Deus é a Sabedoria Infinita.

Guardas a inteligência capaz de discernir.

Deus é paz.

Consegues, em qualquer situação, colaborar claramente na edificação da concórdia.

Deus é Amor.

Podes ser, em todas as circunstâncias, uma parcela de bondade.

Deus é a Luz da Vida.

Seja qual seja o lance do caminho, conservas a prerrogativa de acender a chama da esperança.

Em Deus, todas as doenças se extinguem.

Em ti, a possibilidade de socorrer aos enfermos.

Em Deus, a força de sustentar a todos.

Em ti, os recursos de amparar alguns ou de ajudar em favor de alguém.

Em Deus, a alegria perfeita.

Em ti, o privilégio de sorrir encorajando os outros.

Em Deus, a tolerância.

Em ti, o perdão.

Deus é a Providência da Humanidade.

Onde estiveres, podes ser, se o desejas, a bênção e o apoio na família ou no grupo de trabalho a que pertences.

Deus pode tudo.

Cada criatura pode algo.

Sempre que nos dirijamos a Deus, pedindo auxílio – e sempre solicitamos de Deus o auxílio máximo –, não nos esqueçamos, pelo menos, do mínimo de bem que todos nós podemos fazer.

reequilíbrio

A palavra *tratamento,* numa de suas mais justas acepções, significa processo de curar.

E existem tratamentos de vários modos.

Quando sofremos, por exemplo, os prejuízos da ignorância, buscamos o apoio da escola para que a instrução nos felicite com a luz do discernimento.

No dia da enfermidade, é forçoso recorrer à ciência médica, que se expressará em teu favor, através de medidas socorristas diversas.

Na solução de necessidades primárias da

vida orgânica, quanto mais alto o gabarito da educação, mais imperioso se torna o concurso especializado. Daí os quadros crescentes de higienistas, odontólogos, enfermeiros e assistentes sociais.

Ocorre o mesmo no reino do Espírito, quanto à cura da alma.

Antes da reencarnação, a criatura que se vê defrontada por obrigações de resgate e reajuste, é levada espontaneamente ou não a renascer, junto dos companheiros de antigas faltas, a fim de granjear os recursos indispensáveis à própria quitação diante da Lei.

Por essa razão, verificarás que não é difícil amar a humanidade em seu conjunto, mas nunca fácil harmonizar-se na organização doméstica, onde a vida nos transforma, transitoriamente, em instrutores particularizados uns dos outros. É que o lar ou o grupo de serviço, nas teias da consanguinidade ou da convivência, se erigem como sendo escolas de emenda, institutos de reabilitação ou pequenos sanatórios do sentimento – pontos-chaves do processo para cada um de nós – porquanto, em casa ou no círculo íntimo, encontramos o lugar certo para o encontro exato com os parceiros difíceis de outros tempos, junto dos quais, durante o período da reencarnação, adquiriremos o tratamento espiritual que nos é indispensável à conquista do amor, a única força capaz de assegurar-nos a ascensão para a vida eterna.

se todos perdoassem

Imaginemos, por um minuto, que mundo maravilhoso seria a Terra, se todos perdoassem!...

Se todos perdoassem, a ventura celeste começaria de casa, onde todo companheiro de equipe doméstica perceberia que a experiência na reencarnação é diferente para cada um e, por isso mesmo, teria suficiente disposição para agir em apoio dos associados da edificação em família, a fim de que venham a encontrar o tipo de felicidade pessoal e correta a que se dirigem.

Se todos perdoassem, cada grupo na comunidade terrestre alcançaria o máximo de eficiência na produção do bem comum, porquanto, em toda parte, existiria entendimento bastante para que a inveja e o despeito, o azedume e a crítica destrutiva fossem banidos para sempre do convívio social.

Se todos perdoassem, o espírito de competição, no progresso das ciências e na efetivação dos negócios, subiria constantemente de nível moral, suscitando as mais belas empresas de aprimoramento do mundo, porque o golpe e a vingança desapareceriam do intercâmbio entre pessoas e instituições, com o respeito mútuo revestindo de lealdade os menores impulsos à concorrência, que se fixaria exclusivamente no bem com esquecimento do mal.

Se todos perdoassem, a guerra seria automaticamente abolida no Planeta, de vez que o ódio seria erradicado das nações, com a solidariedade traçando aos mais fortes a obrigação do socorro aos mais fracos, não mais se verificando a corrida de armamentos e sim a emulação incessante à fraternidade entre os povos.

Se todos perdoassem, a saúde humana

atingiria prodígios de equilíbrio e longevidade, porquanto a compreensão recíproca extinguiria o ressentimento e o ciúme, que deixariam, por fim, de assegurar, entre as criaturas, terreno propício à obsessão e à loucura, à enfermidade e à morte.

Se todos perdoarmos, reformaremos a vida na Terra, apagando de todos os idiomas a palavra "ressentimento", para convivermos, uns com os outros, acreditando realmente que somos irmãos diante de Deus.

Quando todos aprendermos a perdoar, o amor entoará hosanas, de polo a polo da Terra, e então o Reino de Deus fulgirá em nós e junto de nós para sempre.

dia e noite

Recorda que a tua noite é a continuação do teu dia.

Repousado o veículo denso – o corpo a que te junges –, o viajor, que és tu mesmo, prossegue na romagem constante das horas.

E não te faltarão companheiros na sombra, a copiarem perfeitamente os companheiros que preferes perante a luz.

Se malbaratas o tempo em conversações infelizes, decerto avançarás, treva a dentro, intoxicando a ti mesmo com o verbo envenenador.

Se te comprazes no vício, cerradas as janelas

da visão na carruagem carnal, identificarás, junto de ti, quantos se alimentam à mesa do vampirismo.

Se te confias à cólera e à agressividade, tão logo te retires do campo físico, partilharás o pesadelo dos que se nutrem de ódio e perseguição.

Se te agrada a ideia de enfermidade, em cujas teias te conformas, sem qualquer resistência, em favor do trabalho que te redimiria a imaginação, assim que te afastas do corpo, à influência do sono, entrarás na companhia deplorável de doentes do espírito, que fazem da inércia a sua razão de ser.

Vale-te do dia para criar valores novos e substanciais que te enriqueçam a vida.

Lembra-te de que nossos laços inferiores com o passado não jazem de todo extintos, e numerosos desafetos de ontem nos espreitam a invigilância de hoje para reconduzir-nos a novas flagelações amanhã, e quase todos aguardam a escuridão para multiplicar apelos delituosos e sugestões infelizes.

Saibamos conquistar a noite, aproveitando

os recursos do dia para estender o bem, porque no símbolo do sol e da sombra, temos a imagem de vida e da morte, dependendo de nós mesmos fazer da existência um cântico de beleza e harmonia, fraternidade e trabalho, para que o término de nossas tarefas represente abençoada renovação.

não te impacientes

A Paternidade Divina é

amor e justiça para todas as criaturas.

Quando os problemas do mundo te afogueiam a alma, não abras o coração à impaciência, que ela é capaz de arruinar-te a confiança.

Quantos perderam as melhores oportunidades da reencarnação, unicamente por se haverem abraçado com o desespero!

A impaciência é comparável à força negativa que, muitas vezes, inclina o enfermo para a morte, justamente no dia em que o organismo entra em recuperação para a cura.

Se queres o fruto, não despetales a flor.

Nas situações embaraçosas, medita caridosamente nos empeços que lhe deram origem! Se um irmão faltou ao dever, reflete nas dificuldades que se interpuseram entre ele e os compromissos assumidos. Se alguém te nega um favor, não te acolhas a desânimo ou frustração, de vez que, enquanto não chegarmos ao plano da Luz Divina, nem sempre nos será possível conhecer, de antemão, tudo o de bom ou de mal que poderá sobrevir daquilo que nós pedimos. Não te irrites diante de qualquer obstáculo, porquanto reclamações ou censuras servirão apenas para torná-los maiores.

Quase sempre a longa expectativa, em torno de certas concessões que disputamos, não é senão o amadurecimento do assunto para que não falhem minudências importantes.

Não queremos dizer que será mais justo te acomodes à inércia. Desejamos asseverar que impaciência é precipitação e precipitação redunda em violência.

Para muitos, a serenidade é a preguiça vestida de belas palavras. Os que vivem, porém, acordados para as responsabilidades que lhes são próprias, sabem que paciência é esperança operosa: recebem obstáculos por ocasiões de trabalho e provações por ensinamentos.

Aguarda o melhor da vida, oferecendo à vida o melhor que puderes.

O lavrador fiel ao serviço espera a colheita, zelando a plantação.

A casa nasce dos alicerces, mas, para completar-se pede atividades e esforços de acabamento.

Não te irrites.

Quem trabalha pode contar com o tempo. Se a crise sobrevém na obra a que te consagras, pede a Deus não apenas te abençoe a realização em andamento, mas também a força precisa para que saibas compreender e servir, suportar e esperar.

conclusão
da vida

Diante dos problemas e

obstáculos do cotidiano, convém estabelecer, de quando a quando pelo menos, ligeira pausa para pensar, de maneira a observarmos o rendimento das horas que a vida nos atribui, no território do tempo.

E se no curso de nossas reflexões ponderarmos:

no montante das bênçãos que temos recebido;

nas vantagens que usufruímos em confronto com as lutas e contratempos que assinalam milhares de irmãos na retaguarda;

nos resultados contraproducentes da irritação;

no caráter destrutivo de quaisquer manifestações de rebeldia ou azedume;

no lado escuro das reclamações;

no peso morto das aflições sem proveito;

nas calamidades da violência;

nos prejuízos do desânimo;

nas lições que podemos extrair das provas dignamente atravessadas;

na importância da indulgência;

nos donativos de calma e bondade que os outros aguardam de nós, a fim de consolidarem a própria segurança;

no poder da gentileza para construir a benemerência e o respeito em torno de nossa vida;

no alto significado da compreensão e da tolerância que nos decidamos a exercitar a benefício de nós mesmos;

e nos testemunhos de amor e cooperação

de que somos capazes para contribuir com os Mensageiros do Cristo na preservação da paz e do bem sobre a Terra;

decerto que, acima de quaisquer desgostos e insucessos, saberíamos colocar a luz da esperança com o privilégio do trabalho, sem nos afastarmos da paciência, hora alguma.

estrela oculta

Quando a tempestade da

cólera explode no ambiente, despedindo granizos dilacerantes, vemo-la por antena de amor, isolando-lhe os raios, e se o temporal da revolta encharca os que tombam na estrada sob o visco da lama, ei-la que surge igualmente por força neutralizante, subtraindo o lodo e aclarando o caminho...

Remédio nas feridas profundas que se escondem na alma, ante os golpes da injúria, é bálsamo invisível, lenindo toda chaga.

Socorro nobre e justo, é a luz doce da ausência, ajudando e servindo onde a leviandade arroja fogo e fel.

Filha da compaixão, auxilia sem paga, impedindo a extensão da maldade infeliz...

Ante a sua presença, a queixa descabida interrompe-se e para, e o verbo contundente empalidece e morre.

Onde vibra, amparando, todo ódio contém-se, e o incêndio da impiedade apaga-se de chofre...

Acessível a todos, vemo-la em toda parte, onde o homem cultiva a caridade simples, debruçando-se, pura, à maneira de aroma envolvente e sublime, anulando o veneno em que a treva se nutre...

Guardemo-la conosco, onde formos chamados, sempre que o mal reponte, delinquente e sombrio, porque essa estrela oculta, ao alcance de todos, é a prece do silêncio em clima de perdão.

Provavelmente, na arena das inquietações e tribulações terrestres, terás tentado as mais diversas receitas, traçadas por autoridades humanas, à busca de equilíbrio e paz, segurança e felicidade, sem atingir os resultados a que aspiras... Entretanto, não esmoreças. Uma fórmula existe que jamais falha, na garantia de nosso próprio bem: experimenta Jesus.

se procuras
a paz

Olvida as desilusões e as

mágoas que porventura te assaltem a mente, para que te fixes na certeza de que a vida encerra os gérmens da renovação incessante, em si própria, facultando-nos a conquista da verdadeira felicidade.

Olvida o lado menos feliz dos companheiros de trabalho e de ideal, a fim de que lhes enxergues tão-somente as qualidades enobrecidas e as possibilidades de elevação.

Olvida as injúrias recebidas, entesourando as bênçãos que te rodeiam.

Olvida o azedume e a incompreensão dos

adversários e esmera-te a conservar os amigos e irmãos que te apoiam as tarefas do dia a dia.

Olvida os assuntos que provoquem a mentalização dos erros e tragédias da Humanidade e rende culto permanente aos feitos edificantes e heroicos em que os homens hajam exaltado a sua natureza divina.

Olvida os fracassos que já te assediaram a existência e escora-te nas esperanças e realizações com que te diriges para o futuro.

Olvida as reminiscências amargas e mantém na memória os acontecimentos felizes que se te erigiram na estrada, alguma vez, por motivos de euforia e plenitude espiritual.

Olvida as dificuldades que te entravem a marcha e consagra-te ao serviço que já possas criar ou fazer na seara do amor ao próximo.

Se procuras a paz, olvida todo mal e dedica-te ao bem, porquanto somente o bem te descerrará caminho para as bênçãos da Luz.

Em todos os males que nos assoberbam a vida, apliquemos as indicações curativas do Evangelho.

repreensão

A represensão, sem dúvida, pertence à economia do nosso progresso espiritual, entretanto, antes de expedi-la, com a palavra, convirá sempre ponderar o *porquê,* o *como* e o *modo,* através dos quais devemos concretizá-la.

O lavrador, para salvar a erva tenra, que amanhã será o orgulho do seu pomar, emprega cuidado e carinho para não lhe ferir o embrião, em lhe subtraindo o verme devorador.

O artista, para retirar a obra prima do mármore, não martela o bloco de pedra indiscriminadamente e, sim, burila-o, cauteloso, antes de apressar-se.

O cirurgião, que atende ao enfermo, propicia-lhe anestésico e repouso, extraindo-lhe o problema orgânico, sem desafiar-lhe a reação das células vivas que, em desespero, poderiam estragar-lhe a atuação.

Usemos a repreensão a benefício do progresso de todos, mas, sem olvidar as nossas necessidades e deficiências, para que a compaixão fraternal seja óleo de estímulo em nossas frases.

Jesus, o Grande Médico, o Excelso Educador, sempre fez diferença entre o mal e a vítima.

Cura a moléstia, sem humilhar aqueles que se faziam hospedeiros dela e reprova o erro, sem esquecer o amparo imprescindível aos que se faziam desviados, que Ele tratava por doentes da alma.

Auxiliemos noventa e nove vezes e repreendamos uma vez, em cada centena de particularidades do nosso trabalho.

Quem efetivamente auxilia, adverte com proveito real.

A educação exige piedade, apoio fraterno

e constante recapitulação de ensinamentos para que se evidencie no campo da vida.

E, ainda nesse capítulo, não podemos esquecer a lição do Mestre, quando nos recomenda: Deixai crescer juntos o trigo e o joio, porque o Divino Cultivador fará a justa seleção, no dia da ceifa.

Semelhante assertiva não nos induz ao relaxamento, à indiferença ou à inércia, mas define o imperativo de nossas responsabilidades, uns à frente dos outros, para que sejamos, de fato, irmãos e amigos, com interesses mútuos, e não perseguidores cordiais que desorganizam as possibilidades de crescimento do progresso e perturbam o esquema de aperfeiçoamento que a Sabedoria Divina traçou, em favor de nosso engrandecimento comum.

em todos os caminhos

Seja qual seja a experiência,

convence-te de que Deus está conosco em todos os caminhos.

Isso não significa omissão de responsabilidade ou exoneração da incumbência de que o Senhor nos revestiu. Não há consciência sem compromisso, como não existe dignidade sem lei.

O peixe mora gratuitamente na água, mas deve nadar por si mesmo. A árvore, embora não pague imposto pelo solo a que se vincula, é chamada a produzir conforme a espécie.

Ninguém recebe talentos da vida para escondê-los em poeira ou ferrugem.

Nasceste para realizar o melhor. Para isso, é possível te defrontes com embaraços naturais ao próprio burilamento, qual a criança que se esfalfa compreensivelmente nos exercícios da escola. A criança atravessa as provas do aprendizado sob a cobertura da educação que transparece do professor. Desempenhamos as nossas funções com o apoio de Deus.

Se o conhecimento exato da Onipresença Divina ainda não te acode à mente necessitada de fé, pensa no infinito das bênçãos que te envolvem, sem que despendas mínimo esforço. Não contrataste engenheiros para a garantia do Sol que te sustenta e nem assalariaste empregados para a escavação de minas de oxigênio na atmosfera, a fim de que se renove o ar que respiras.

Reflete, por um momento só, nas riquezas ilimitadas ao teu dispor nos reservatórios da natureza e compreenderás que ninguém vive só.

Confia, segue, trabalha e constrói para o bem. E guarda a certeza de que, para alcançar a felicidade, se fazes teu dever, Deus faz o resto.

Conflitos e queixas à frente do próximo:

— Amemo-nos uns aos outros, qual o Divino Mestre nos amou.

itens da
irritação

Enquanto no clima de

serenidade, consideremos que a irritação não é recurso de auxílio, sejam quais sejam as circunstâncias.

O primeiro prejuízo que a intemperança mental nos impõe é aquele de afastar-nos a confiança dos outros.

A cólera é sempre sinal de doença ou de fraqueza.

As manifestações de violência podem estabelecer o regime do medo, ao redor de nós, mas não mudam o íntimo das pessoas.

Sempre que nos encolerizamos, complicamos os problemas que nos preocupam, ao invés de resolvê-los.

O azedume que venhamos a exteriorizar é, invariavelmente, a causa de numerosas perturbações para os entes queridos que pretendemos ajudar ou defender.

Caindo em fúria, adiamos comumente o apoio mais substancial daqueles companheiros que se propõem a prestar-nos auxílio.

A cólera é quase sempre a tomada de ligação para tramas obsessivas, das quais não nos será fácil a liberação precisa.

A aspereza no trato pessoal cria ressentimento, e o ressentimento é sempre fator de enfermidade e desequilíbrio.

Em qualquer assunto de apaziguamento e aprendizado, trabalho e influência, aquisição ou simpatia, irritar-se contra alguém ou contra alguma cousa será sempre o retrocesso inevitável de perder.

Desinteligências em casa:

— *Lembremo-nos de que se não procuramos compreender e nem amparar os que nos partilham o círculo doméstico, estaremos negando a própria fé.*

vibrações

Entendendo-se o conceito de vibrações, no terreno do Espírito, por oscilações ou ondas mentais, importa observar que exteriorizamos constantemente semelhantes energias. Disso decorre a importância das ideias que alimentamos.

Em muitas fases da experiência terrestre, nos desgastamos com as nossas próprias reações intempestivas, ante a conduta alheia, agravando obstáculos ou ensombrando problemas.

Se nos situássemos, porém, no lugar de quantos nos criem dificuldades, estaríamos em novo câmbio de emoções e pensamentos, frustrando descargas de ódio e violência, angústia ou crueldade que viessem a ocorrer em nossos distritos de ação.

Experimenta a química do amor no laboratório do raciocínio.

Se alguém te fere, coloca-te, de imediato, na condição do agressor e reconhecerás para logo, que a compaixão deve envolver aquele que se entregou inadvertidamente ao ataque para sofrer em si mesmo a dor do desequilíbrio.

Se alguém te injuria, situa-te na posição daquele que te apedreja o caminho e perceberás, sem detença, que se faz digno de piedade todo aquele que assim procede, ignorando que corta na própria alma, induzindo-se à dor do arrependimento.

Se te encontras sob o cerco de vibrações conturbadoras, emite de ti mesmo aquelas outras que se mostrem capazes de gerar vida e elevação, otimismo e alegria.

Ninguém susta golpes da ofensa com pancadas de revide, tanto quanto ninguém apaga fogo a jorros de querosene.

Responde a perturbações com a paz.

Ante o assalto das trevas faze luz.

Se alguém te desfecha vibrações contrárias à tua felicidade, endereça a esse alguém a tua silenciosa mensagem de harmonia e de amor com que lhe desejes felicidade maior.

Disse-nos o Senhor: "Batei e abrir-se-vos-á. Pedi e obtereis".

Este mesmo princípio governa o campo das vibrações.

Insiste no bem e o bem te garantirá.

na edificação da fé

Ninguém edificará o san-

tuário da fé no coração, sem associar-se, com toda alma, naquilo que é de belo e de superior dentro da vida.

Para alcançar, porém, a divina construção, não nos bastam os primores intelectuais, a eloquência preciosa, o êxtase contemplativo ou a desenvoltura dos cálculos no campo da inteligência.

Grandes gênios do raciocínio são, por vezes, demônios da miséria e da morte.

Admiráveis doutrinadores, em muitas ocasiões, são vitrines de palavras brilhantes e vazias.

Muitos adoradores da Divindade, frequentemente mergulham-se na preguiça a pretexto de cultuar a Glória Celeste.

Famosos matemáticos, não raro, são símbolos de sagacidade e exploração inferior.

Amemos o trabalho que a Eterna Sabedoria nos conferiu, onde nos situamos, afeiçoando-nos à sua execução sempre mais nobre, cada dia, e seremos premiados pela grande compreensão, matriz abençoada de toda a confiança, de toda a serenidade e de todo o engrandecimento do espírito.

Para penetrar os segredos da estatuária, o escultor repete os golpes do buril milhares de vezes.

Para produzir o vaso de que se orgulhará em missão bem cumprida, o oleiro demora-se infinitamente ao contato da argila.

Para expor as peças com que enriquecerá o conforto humano, o carpinteiro, de mil modos, recapitulará o aprimoramento do tronco bruto.

Não te queixes se a fé ainda te não coroa a razão.

Consagra-te aos pequeninos sacrifícios, na esfera de tuas diárias obrigações; à frente dos outros, cede de ti mesmo, exercita a bondade, inflama o otimismo por onde passes, planta a gentileza de teus sonhos, movimenta-te no ideal de sublimação que elegeste para alvo de teu destino.

Aprende a repetir para que te aperfeiçoes...

Não vale fixar indefinidamente as estrelas, amaldiçoando as trevas que ainda nos cercam.

Acendamos a vela humilde de nossa boa vontade, no chão de nossa pobreza individual, para que as sombras terrestres diminuam, e o esplendor solar sintonizar-te-á com a nossa flama singela.

A tomada insignificante é o refletor da usina, quando ligada aos seus poderosos padrões de força.

Confessemos Jesus em nossos atos de cada hora, renovando-nos com Ele e sofrendo felizes em seu roteiro de renunciação, auxiliando a todos e servindo, cada vez mais, em Seu Nome, e, de inesperado, reconheceremos nossa alma inundada por alegria indizível e por silenciosa luz...

É que o trabalho de comunhão com o Mestre terá realizado em nós a sua obra gloriosa, e a fé perfeita e divina, por tesouro inalienável, brilhará conosco, definitivamente incorporada à nossa vida e ao nosso coração.

defendamo-nos

Ante as forças da sombra que,

porventura, te ameacem o coração, acalma-te e espera...

Se a serpente da inveja te envenena a alegria, recorda que a criatura invejada, muita vez, carreia consigo dolorosas chagas de angústia sob o manto enganoso das aparências.

Se o dragão do ciúme te espreita os passos, não olvides que todos os nossos afetos pertencem a Deus, Nosso Pai, que no-los empresta, a fim de que, através do desenvolvimento e da renúncia, venhamos a adquirir o verdadeiro amor para a eternidade.

Se a gralha do orgulho te grita mentiras ao

pensamento, impelindo-te à evidência indébita, entre aqueles que te rodeiam, não te esqueças de que o tempo tudo renovará, preservando-te unicamente os valores imarcescíveis do espírito.

Se o leão invisível da cólera te absorve a emotividade, obscurecendo-te o raciocínio, certifica-te de que um minuto de desespero pode arrojar-te a muitos séculos de criminalidade e loucura.

Se as larvas da preguiça te invadem a cabeça e te imobilizam as mãos, convence-te de que um dia de inércia no bem é ganho indiscutível para o mal que nos cerca e que responderemos, em todo tempo, na Contabilidade Celeste pelo descaso das horas perdidas.

A cada instante, a mudança nos espia a existência, através de mil modos.

Guardemo-nos no serviço incessante do amor puro e simples, compreendendo que tão-só construindo a felicidade para os outros é que alcançaremos a nossa felicidade. E, buscando acender a luz divina em nós mesmos é que nos retiraremos, em definitivo, do largo desfiladeiro da ilusão e do desencanto, da culpa e do resgate, do desequilíbrio e da morte.

Provações e insultos:
— Exoremos a Divina
Misericórdia para quantos
nos perseguem ou injuriam.

disciplina

Imprescindível compreender

a função da luta em nosso aprendizado, quando na peregrinação terrestre, para que a fé e o amor não sejam palavras vazias e inúteis em nossos lábios.

Recordemos que o primeiro favor da proteção divina, a benefício da alma que se candidata à renovação e ao resgate no mundo, expressa-se na prisão corpórea, em que o espírito, condicionado a leis orgânicas, sofre temporariamente a redução da própria liberdade.

Internado no instituto doméstico, é defrontado não somente pelos afetos que lhe estimulam a caminhada, mas também pelas algemas das aversões profundas que assomam aos laços consanguíneos, liquidando antigos débitos.

E da infância à juventude e da mocidade à velhice fisiológica, a alma é surpreendida de mil modos diferentes por dificuldades e dissabores, aflições e feridas, à conta de lições preciosas que lhe conduzem o entendimento à paz e à sublimação.

Não te iludas, nos dias rápidos com que a experiência humana te favorece.

Aprendamos a recolher pedras e espinhos, como quem sabe que deles surgem o ouro da experiência e as rosas da alegria – riquezas de nossa marcha.

A educação é longo processo de trabalho, entre o dever e a disciplina, em que a dor é sempre a nossa mestra prestimosa e benevolente.

Se esposaste, assim como Cristo, a senda de redenção, ergue o pensamento ao Alto e segue, estendendo o bem.

Não te esqueças de que Ele mesmo, nosso Divino Mestre, não viveu entre os homens sem perseguidores e adversários.

Mas, dos inimigos gratuitos que lhe feriram o coração, fez a moldura sublime para o amor que nunca morre, do qual envia até nós, cada dia, a luz que nos clareia a romagem para a Vida Imperecível e Triunfante.

Incompreensões no campo da convivência:

— Com quem nos exija a jornada de mil passos, caminhemos mais dois mil.

prece antes e depois

Antes de observar a presença

do mal, roga ao Senhor para que teus olhos se habituem à fixação do bem, a fim de que depois não se te converta a oração em requerimento desesperado.

Antes de assinalar a frase caluniosa ou irrefletida, pede ao Senhor para que teus ouvidos saibam escutar para o auxílio fraterno, a fim de que depois não se te transforme a prece em apelo sombrio.

Antes de caminhar na direção do poço em que se adensam as águas turvas da crueldade, implora ao Senhor para que teus pés se mantenham na movimentação do trabalho digno, a fim de que depois não se te transfigure a petição em grito blasfematório.

Antes de considerar a ofensa do próximo, solicita ao Senhor te ilumine o coração para que saibas exercer a caridade genuína do entendimento e do perdão sem reservas, a fim de que depois não se te expresse a rogativa por labéu de remorso e maldição.

Todos fazemos preces, depois que o sofrimento nos convoca à expiação regenerativa, quando o processo de nossas defecções morais já coagulou em torno de nosso espírito o cáustico da aflição com que havemos de purificar os tecidos da própria alma.

Todavia, quão raras vezes oramos antes da luta, vacinando o sentimento contra a sombra da tentação!...

Saibamos louvar a Bondade e a Sabedoria de Deus, em todos os passos da vida, rendendo graças pela flor e pelo espinho, pela facilidade e pelo obstáculo, pela alegria e pela dor, pela fartura e pela carência.

Agradecendo ao Céu as lições diminutas de cada instante da marcha, aprenderemos a tecer com as pequeninas vitórias de cada dia o triunfo sublime que, na grande angústia, erguer-nos-á para a alegria soberana capaz de levantar-nos para sempre à plena luz da imortalidade.

Calúnias e sarcasmos:

— O Senhor recomenda se perdoe cada ofensa setenta vezes sete.

dever

Qual a atitude mental que

mais favorecerá o nosso êxito espiritual nas atividades do mundo?

Essa atitude deve ser a que vos é ensinada pela lei da reencarnação em que vos encontrais, isto é, a do esquecimento de todo mal para recordar apenas o bem e a bendita oportunidade de trabalho e edificação, nos patrimônios do tempo.

Esquecer o mal é aniquilá-lo, e perdoar a quem o pratica é ensinar o amor, conquistando afeições preciosas.

Daí a necessidade do perdão, no mundo, para que o incêndio do mal possa ser exterminado, devolvendo-se a paz legítima a todos os corações.

na hora do desânimo

Desânimo em ação espírita-

cristã é francamente injustificável.

Vejamos alguns apontamentos, suscetíveis de confirmar-nos o asserto.

Se fomos ludibriados, na expectativa honesta em torno de pessoas e acontecimentos, desânimo nos indicaria o propósito de infalibilidade, condição incompatível com qualquer espírito em evolução; se incorremos em falta e caímos em desalento, isso mostraria que andávamos sustentando juízo excessivamente benévolo, acerca de nós mesmos, quando sabemos que, por agora, somos simples aprendizes na escola da experiência; se esmorecemos na tarefa que nos cabe, tão-só porque outros patenteiam dentro dela competência que ainda estamos longe de alcançar, nossa tristeza destrutiva apenas nos revelaria a reduzida disposição de estudar e trabalhar, a fim de crescer, melhorar-nos e merecer; se nos desnorteamos em amargura pelo fato de algum companheiro nos endereçar advertência determinada, nesse ou naquele passo da vida, tal atitude somente nos evidenciaria o orgulho ferido, inadmissível em criaturas conscientes das próprias imperfeições; se entramos em desencanto porque entes amados estejam tardando em adquirir as virtudes que lhes desejamos, certamente estamos provisoriamente esquecidos de que também nós estagiamos no passado, em longos trechos de incompreensão e rebeldia.

Claramente, ninguém se rejubila com falhas e logros, abusos e desilusões, mas é preciso recordar que, por enquanto, nós, os seres vinculados à Terra, somos alunos no educandário da existência e que espíritos bem-aventurados, em níveis muito superiores ao nosso, ainda caminham encontrando desafios da Vida e do Universo, a perseverarem no esforço de aprender.

Regozijemo-nos pela felicidade de já albergar conosco o desejo sadio de educar-nos e, toda vez que o desânimo nos atire ao chão da dificuldade, levantemo-nos, tantas vezes quantas forem necessárias para o serviço do bem, na certeza de que não estamos sozinhos e de que muito antes de nossos desapontamentos e de nossas lágrimas, Deus estava no clima de nossos problemas, providenciando e trabalhando.

ação e oração

Sempre muito importante a oração por luz interior, no campo íntimo, clareando passos e decisões sem nos despreocuparmos, porém, da ação que lhe complemente o valor, nos domínios da realidade objetiva.

Pedirás a proteção de Deus para o doente; no entanto, não te esquecerás de estender-lhe os recursos com que Deus já enriqueceu a assistência humana, a fim de socorrê-lo.

Solicitarás o amparo da Providência Divina, a benefício do ente amado que se tresmalhou em desequilíbrio; todavia, não olvidarás apoiá-lo com segurança e bondade, na recuperação necessária, segundo os preceitos das ciências espirituais que a Divina Providência já te colocou ao dispor nos conhecimentos da Terra.

Rogarás ao Céu te liberte dos que te perseguem ou dos que ainda não se harmonizam contigo; entretanto, não lhes sonegarás tolerância e perdão, diante de quaisquer ofensas, conforme os ensinamentos de paz e restauração que o Céu já te deu, por intermédio de múltiplos Instrutores da Espiritualidade Maior, em serviço no mundo.

Suplicarás a intercessão dos Mensageiros da Vida Superior para que te desvencilhes de certas dificuldades materiais, diligenciando, porém, desenvolver todas as possibilidades ao teu alcance, pela obtenção de trabalho digno, que te assegure a superação dos obstáculos, na pauta das habilitações que os Mensageiros da Vida Superior já te ajudaram a adquirir.

Ação é serviço.

Oração é força.

Pela oração a criatura se dirige, mais intensamente, ao Criador, procurando-Lhe apoio e bênção, e, através da ação, o Criador se faz mais presente na criatura, agindo com ela e em favor dela.

Provas e contratempos:

— Orar sempre e trabalhar sem desânimo, na edificação do bem de todos.

imunização espiritual

Se te decides, efetivamente, a

imunizar o coração contra as influências do mal, é necessário te convenças:

que todo minuto é chamamento de Deus à nossa melhoria e renovação;

que toda pessoa se reveste de importância particular em nosso caminho;

que o melhor processo de receber auxílio é auxiliar em favor de alguém;

que a paciência é o principal ingrediente na solução de qualquer problema;

que sem amor não há base firme nas construções espirituais;

que o tempo gasto em queixa é furtado ao trabalho;

que desprezar a simpatia dos outros, em nossa tarefa, é o mesmo que pretender semear um campo sem cogitar de lavrá-lo;

que não existem pessoas perversas e sim criaturas doentes a nos requisitarem amparo e compaixão;

que o ressentimento é sempre foco de enfermidade e desequilíbrio;

que ninguém sabe sem aprender e ninguém aprende sem estudar;

e que, em suma, não basta pedir aos Céus, através da oração, para que baixem à Terra, mas também cooperar, através do serviço ao próximo, para que a Terra se eleve igualmente para os Céus.

Perturbações íntimas:

— Onde colocamos os nossos interesses, aí se nos vincula o coração.

questão de valor

Ninguém pode alegar insignificância ou desvalia para fugir aos deveres que lhe competem na obra de elevação do mundo.

A pedra quase impermeável serve aos alicerces.

A areia áspera é valioso elemento na construção.

O remédio amargo é instrumento da cura.

O mal de agora pode ser simplesmente um véu de sombra ocultando o bem de amanhã.

Há pessoas que se confessam inaptas ou imperfeitas para qualquer serviço do Evangelho, entretanto, apenas se esquecem de que a direção, entre os filhos da fé, não pertence à vontade humana.

O bloco de mármore perdido no matagal é simples calhau sem valor, mas nas mãos do artista, é a fonte de que sairá a obra-prima.

Uma enxada ao abandono é traste inútil, mas nos braços do bom lavrador, é precioso instrumento do nosso pão.

O pântano em si é pestilência e ruína, mas se recebe a assistência do pomicultor, dá lugar a vegetais que nos enriquecem a vida.

Um fio de cobre perdido na via pública é resíduo destinado à lata de lixo, mas se for ligado entre a usina e a lâmpada, é o condutor imponente da luz e da energia que sustenta o progresso.

Se contarmos exclusivamente conosco, na realidade, somos meros átomos pensantes, mas se aceitarmos a direção de Jesus para a nossa vida, a nossa experiência será indubitavelmente rica de bênçãos do Divino Mestre.

Pelo nosso passado, somos simples sombras, mas se o nosso presente procura imantar-se com o Cristo, nossa bússola indicará os horizontes da verdadeira luz em nosso favor.

Não te consideres tão-somente pelo que és. Vejamo-nos em companhia do Cristo para que o Cristo esteja em nós.

O zero à esquerda do número será sempre nada, mas à direita do algarismo, é valor substancial, em ascensão crescente para o Infinito.

Lembremo-nos de que Jesus é a Divina Unidade e situemos nossa existência à direita do Nosso Senhor e Mestre.

tesouros

A única propriedade real

na vida é aquela dos bens ou dos males que incorporamos à própria alma.

Dos bens que constroem o paraíso da consciência feliz e dos males que levantam o purgatório do coração que escolhe os espinheiros do remorso por recursos de pavimentação do próprio caminho.

Não te agarres aos patrimônios terrestres de que te fazes o usufrutuário provisório, a fim de que aprendas no serviço e na caridade a buscar, em teu benefício, a riqueza incorruptível da luz.

Basta um leve olhar ao pretérito para que

reconheças a insânia de quantos passaram no mundo, antes de ti, senhoreando as bênçãos do solo e devorando o suor dos semelhantes, como se o tempo e o espaço lhes pertencessem.

Os museus jazem repletos das baixelas preciosas de quantos se supuseram senhores exclusivos do pão, das armas fidalgas de quantos zombaram dos direitos do próximo e da indumentária brilhante daqueles que transformaram o domínio indébito em sua feroz paixão...

Adelos e numismatas retêm consigo os remanescentes de todos os que monopolizaram a roupa devida aos nus e as moedas surrupiadas à fome e ao remédio dos infelizes...

Coleções de cinzas douradas guardam a usura e a vaidade, a mentira da bolsa estéril e o engano cruel da posse inútil.

Aproveita, desse modo, a tua hora no corpo denso e faze circular os valores da bondade no vintém que possa nutrir a paz e o reconforto, imprescindíveis ao companheiro da retaguarda, com aflições maiores que as tuas.

Recorda que, se o onzenário e o egoísta

retiram o azinhavre e a solidão da sombra a que se afeiçoam, a alma fraterna e amiga extrai a esperança e a paz da claridade que veicula.

A cobiça ajunta a prata e o ouro da Terra como quem amontoa pedras incendiadas sobre a própria cobiça, mas a fé que se consagra a Jesus, em se devotando à alegria e à felicidade dos outros, amealha para si mesma, hoje e sempre, os tesouros imperecíveis do Céu.

aprendamos a dividir

Aprendamos a dividir a

própria felicidade para que a felicidade dos outros se multiplique.

Observemos a natureza.

O Sol divide com a Terra os seus raios de amor e a Terra lhe entesoura a energia, em favor do progresso das criaturas.

A fonte divide as águas auxiliando a vegetação que, mais tarde, a protege.

A árvore divide os frutos com os homens e os homens lhe estendem a espécie, através do espaço e do tempo.

As flores dividem o próprio néctar com as

abelhas e as abelhas lhes garantem abençoada fecundação.

Tuas horas e tuas forças, conhecimentos e recursos, quaisquer que sejam, são concessões do Todo-Compassivo em tuas mãos, que podes repartir com o próximo, a benefício de ti mesmo.

Auxiliar alguém é fazer o investimento da verdadeira alegria, e toda alegria no exercício do bem é dom de vida e luz que nos aproxima de Deus.

Aprendamos a dividir os depósitos do Senhor, enquanto é hoje, a fim de que o Amparo Divino mais intensamente nos envolva, enriquecendo-nos o espírito para que venhamos a receber com os outros e pelos outros a nossa perfeita felicidade amanhã.

Ocasiões de críticas e reproches:

— Com a medida que julgamos os outros, seremos julgados também nós.

vida

Aprende a pensar em termos de eternidade para que o internato no corpo físico não te empane a visão da vida.

Uma existência na Terra constitui precioso, mas breve aprendizado, em que sob a ficha do certo reduto familiar, conquistas o privilégio de avançar para diante nas sendas evolutivas ou a permissão de recapitular as próprias experiências.

Não te esqueças, porém, de que a morte se incumbirá de interromper-te o usufruto das regalias humanas, na aferição dos valores ou dos prejuízos que hajas angariado em favor ou desfavor de ti próprio, a fim de que não percas a necessária renovação para o grande amanhã.

Assevera a ciência terrena que herdaste, em função da genética, os caracteres dos próprios antepassados, próximos ou longínquos, entretanto, no fundo, não recolhes dos outros a riqueza das qualidades nobres ou o fardo dos sofrimentos, mas sim de ti mesmo, das próprias obras semeadas, vividas e revividas, de vez que somos, quase sempre, na ribalta do mundo, os mesmos intérpretes do drama redentor, guardando conosco as bênçãos ou as dores que amealhamos dentro da luta, embora ostentando máscaras diferentes.

Hoje, pagamos dívidas de ontem, mas é possível venhamos a solver amanhã compromissos pesados que deixamos em distante pretérito, exigindo-nos atenção.

Recebe a aflição e a dificuldade, aliviando as aflições e as dificuldades alheias; pede auxílio, auxiliando; roga o socorro do Céu, socorrendo aos que te rodeiam na Terra, porque entre os panos do berço e os panos do túmulo, desfrutas simplesmente um dia curto no tempo ilimitado, dentro da vida imperecível, baseada na justiça perfeita e no amor sem fim.

Reivindicações e recla-
mações:

— Busquemos o Reino
de Deus e sua justiça e tudo
mais de que necessitemos ser-
-nos-á acrescentado.

dia de Deus

Pensando em Deus, pensa

igualmente nos homens, nossos irmãos.

Detém-te, de modo especial, na simpatia e no amparo possível, em favor daqueles que se fizeram pais ou tutores.

As mães são sempre revelações angélicas de ternura, junto aos sonhos de cada filho, mas é preciso não esquecer que os pais também amam.

Esse perdeu a juventude, carregando as responsabilidades do lar; aquele se entregou a pesados sacrifícios, apagando a si mesmo, para que os filhos se titulassem com brilho na cultura terrestre; outros se escravizaram a filhinhos doentes; muitos foram banidos do refúgio doméstico, às vezes, pelos próprios descendentes, exilados que se acham em recantos de imaginário repouso, por trazerem a cabeça branca por fora, e, em muitas ocasiões, alquebrada por dentro, sob a carga das lembranças difíceis que conservam, em relação aos infortúnios que atravessaram para que a família sobrevivesse, e, ainda outros renunciaram à felicidade própria, a fim de se converterem nos guardiães da alegria e da segurança de filhos alheios!...

Compadece-te de nossos irmãos, os homens, que não vacilaram em abraçar amargos compromissos, a benefício daqueles que lhes receberam os dons da vida.

Ainda mesmo aqueles que se transviaram ou que enlouqueceram, sob a delinquência, na maioria dos casos, nos merecem respeitoso apreço pelas nobres intenções que os fizeram cair.

A vida comunitária, na Terra de hoje, instituiu datas de homenagens à profissões e pessoas. Lembrando isso, reconhecemos, por nós, que o Dia das Mães é o Dia do Amor, mas reconhecemos também que o Dia dos Pais é o Dia de Deus.

Adversários ferrenhos ou implacáveis:

— Amemos os nossos inimigos, observando que lições nos trazem eles, a fim de que possamos aproveitá-las, porque, se amamos tão-somente os que nos amam, que haverá nisso demais?

mudança de plano

Não esperes pela morte

do corpo para realizar o serviço da própria elevação.

Cada dia é oportunidade de ascensão ao melhor.

Cada tarefa edificante é degrau com que podemos subir às esferas superiores.

Todos respiramos em planos distintos e todos podemos alcançar horizontes mais altos.

Se te habituaste à irritação, cultiva o silêncio e a tolerância com os quais te desvencilharás dos laços sombrios da cólera, penetrando os domínios da luz.

Se acalentas a disposição de comprar inimigos, através de atitudes impensadas, detém-te na serenidade e aprende a servir aos desafetos, alcançando, assim, o reino brilhante da simpatia.

Se ainda te debates nos desvãos da ignorância, não te esqueças do esforço na leitura sadia e edificante para a aquisição do conhecimento e da sabedoria.

Se respiras no resvaladouro da queixa, esquece a ociosidade e o desânimo e, erguendo-te para o trabalho digno, consagra-te ao suor enobrecente, a fim de incorporares ao próprio patrimônio espiritual o otimismo e a paz, o bom ânimo e a alegria.

Há milhões de "círculos de vida", dentro de nossa residência planetária.

Cada criatura vive na faixa de sentimento a que se ajusta.

O verme agarra-se à escuridão do subsolo.

O batráquio mora no charco.

A ave plana e canta na altura.

A chama envolve-se nas emanações da luz que irradia.

Assim também, cada alma reside na esfera de ideal que forma para si mesmo com o próprio pensamento.

Quem deseje um mundo melhor, pode avançar, pelo trabalho e pela boa vontade, no roteiro da ascensão, desde hoje.

emergência

Perfeitamente discerníveis

as situações em que resvalamos, impreviden-
temente, para o domínio da perturbação e da
sombra.

Enumeremos algumas delas nas quais
renteamos claramente, com o perigo da obsessão:

cabeça desocupada;

mãos improdutivas;

palavra irreverente;

conversa inútil;

queixa constante;

opinião desrespeitosa;

tempo indisciplinado;

atitude insincera;

observação pessimista;

gesto impaciente;

conduta agressiva;

comportamento descaridoso;

apego demasiado;

decisão facciosa;

comodismo exagerado;

refeição intemperante.

Sempre que nós, os lidadores encarnados e desencarnados, com serviço na renovação espiritual nos reconhecermos em semelhantes fronteiras do processo obsessivo, proclamemos o estado de emergência no mundo íntimo e defendamo-nos contra o desequilíbrio, recorrendo à profilaxia da prece.

Arrastamentos e paixões:

— Vigiemos a nós mesmos para que não venhamos a resvalar para as margens da senda que nos cabe trilhar.

ideia dirigida

Observando as conquistas

da Civilização, reflitamos nos poderes da ideia dirigida de que necessitamos no burilamento e ascensão do espírito.

Por séculos, o homem usou tugúrios de taipa por domicílio, todavia, submeteu-se à inspiração das Esferas Superiores e ergueu os parques residenciais que dignificam as cidades modernas; por milênios, viajou no dorso de animais de grande porte, no entanto, obedeceu aos impulsos determinados pelo progresso e aprimorou a maquinaria com que anula distâncias.

Pensa nos méritos da ideia dirigida de que não prescindimos no próprio aperfeiçoamento.

Se te acreditas doente, encaminha as forças da imaginação para o reajuste, provendo o corpo com os recursos de proteção possíveis ao teu alcance, para que a ideia dirigida de saúde te mantenha o equilíbrio orgânico.

Se julgas reter o germe das moléstias que te marcaram os ascendentes, guia os desejos de renovação para nível mais alto, abraçando hábitos e ideais superiores às convicções e aos costumes em que se te acomodavam os avoengos, para que a ideia dirigida te garanta libertação.

Se te admites carregando incapacidade intelectual, conduze os anseios de conhecimento para a cultura, utilizando atenção e tempo disponíveis no estudo nobre, para que a ideia dirigida te assegure os investimentos da educação.

Se te aceitas por vítima de infortúnio e abandono, orienta aspirações de felicidade para o trabalho e para a cooperação fraternal, esposando serviço e humildade por recomeço de aprendizado, para que a ideia dirigida te granjeie simpatia e reconforto.

A ideia dirigida é alicerce de qualquer organização; entretanto, como ocorre ao projeto de obra determinada, que exige material adequado para que se levante, a ideia dirigida não vale só por si. Para evidenciar-se, é indispensável conjugá-la ao suor da realização. Mesmo assim, urge compreender que, se pede a alavanca da vontade, a fim de fundamentar-se no bem, ligar-se ao bem, revestir-se do bem e sustentar-se no bem, reclama trabalho intenso de nossa parte, para que se mantenha no melhor que possamos fazer. Porque, sendo a ideia dirigida uma construção da inteligência, a inteligência do mal age também com ela.

agradeçamos a Deus

Necessário conservar o coração agradecido a Deus para que as aflições não nos deteriorem os sentimentos.

Para isso, é forçoso procurar o *lado melhor* das cousas e ocorrências, a outra face das pessoas e circunstâncias.

Em muitos episódios da nossa caminhada na Terra, porque a provação nos visite, afundamo--nos em desânimo, todavia, em nos apercebendo com segurança quanto à significação disso, compreendemos para logo que a provação é alavanca psicológica, sem a qual não solucionaríamos as dificuldades alheias.

Certas afeições, no mundo, nos abandonam

em caminho, amarfanhando-nos o Espírito, no entanto, que seria de nós se determinados laços possessivos nos detivessem o coração, indefinidamente?

Empeços materiais persistem conosco, por tempo enorme, contudo, acabamos notando que sem eles, quase sempre, ser-nos-ia impraticável a consolidação do equilíbrio espiritual.

A decepção trazida por um amigo é razão para grande sofrimento, entretanto, a pouco e pouco, reconhecemos que a decepção, no fundo, não existe, de vez que a ruptura de certas relações se traduz por transitório desnível, através do qual se rompem hoje tarefas abraçadas em comum para se refazerem, de futuro, em novas condições de harmonia e de rendimento no bem de todos.

O bisturi do cirurgião é suscetível de inquietar-nos a vida, mas retira de nós aquilo que pode induzir-nos à morte prematura.

Saibamos agradecer ao Senhor os dons de que fomos aquinhoados. Dor é aviso, obstáculo é medida de resistência, desilusão é reajuste, contratempo é lição. Se sabemos aceitá-los, transformam-se-nos sempre em dispositivos para a obtenção da felicidade maior. Isso ocorre, porque, na maioria das ocasiões, os desapontamentos nada mais são que oportunidades a fim de que as nossas emoções se façam respostas na órbita de nossos deveres ou para que os nossos raciocínios se recoloquem na direção de Deus.

felicidade

Sábios existem que asseveram não ser a felicidade deste mundo, mas isso não quer dizer que a felicidade não seja do homem.

E sabendo nós outros que há diversos tipos de contentamento na Terra, não podemos ignorar que há um júbilo cristão, do qual não nos será lícito esquecer em tempo algum.

A alegria da mente ignorante, que se mergulhou nos despenhadeiros do crime, reside na execução do mal, ao passo que a satisfação do homem esclarecido jaz no dever bem desempenhado, no coração enobrecido e na reta consciência.

Não olvidemos que, se o Reino do Senhor ainda não é deste mundo, nossa alma pode, desde agora, ingressar nesse Divino Reino e aí encontrar a ventura sem mácula do amor vitorioso sob a inspiração do Celeste Amigo.

A felicidade do discípulo de Jesus brilha em toda parte, induzindo-nos à Bênção Maior.

É a bênção de auxiliar.

A construção da simpatia fraterna.

A oportunidade de sofrer pela própria santificação.

O ensejo de aprender para progredir na Eternidade.

A riqueza do trabalho.

A alegria de servir, não só com o dinheiro farto ou com a autoridade respeitável da Terra, mas também com o sorriso de entendimento, com o pão da boa vontade ou com o agasalho ao doente e à criança.

Tibério era infeliz e desventurado no Palácio de Capri, quando o Divino Mestre era ferido e glorificado na cruz em Jerusalém.

A felicidade, portanto, se ainda não é deste mundo, já pode residir no espírito que realmente a procura na alegria de dar de si mesmo, de sacrificar-se pelo bem comum e de auxiliar a todos, como Jesus que soube, amando e servindo, subir do madeiro sanguinolento aos esplendores da Eterna Ressurreição.

oração nossa

Senhor, ensina-nos:

a orar sem esquecer o trabalho;

a dar sem olhar a quem;

a servir sem perguntar até quando;

a sofrer sem magoar seja a quem for;

a progredir sem perder a simplicidade;

a semear o bem sem pensar nos resultados;

a desculpar sem condições;

a marchar para a frente sem contar os obstáculos;

a ver sem malícia;

a escutar sem corromper os assuntos;

a falar sem ferir;

a compreender o próximo sem exigir entendimento;

a respeitar os semelhantes, sem reclamar consideração;

a dar o melhor de nós, além da execução do próprio dever, sem cobrar taxas de reconhecimento.

Senhor, fortalece em nós a paciência para com as dificuldades dos outros, assim como precisamos da paciência dos outros para com as nossas dificuldades.

Ajuda-nos para que a ninguém façamos aquilo que não desejamos para nós.

Auxilia-nos, sobretudo, a reconhecer que a nossa felicidade mais alta será, invariavelmente, aquela de cumprir-te os desígnios onde e como queiras, hoje, agora e sempre.

Anseio de orientação e conselho:

— Tudo o que quisermos que os outros nos façam, façamos nós igualmente a eles.

Deus te sustentará

Se alguém te engana e per-

doas a esse alguém, sem pedir contas, Deus te fortalecerá na jornada para a frente.

Se alguém cria meios de fazer-te chorar e procuras sorrir, em auxílio aos outros que necessitam de ti, Deus te revestirá de forças novas, a fim de que a paz esteja contigo.

Se alguém se te atravessa o caminho, apropriando-se de vantagens que talvez viessem a pertencer-te e sabes olvidar aborrecimentos e prejuízos em favor do contentamento alheio, Deus te guiará para conquistas mais valiosas.

Se alguém te censura, injustamente, e

consegues esquecer azedumes e agravos, Deus te garantirá com energias novas para que prossigas em serviço, dissipando a sombra em que te buscam envolver.

Se alguém duvida de tua sinceridade e continuas servindo por amor a todos aqueles que confiam em ti, Deus te fará justiça no momento oportuno.

Se alguém te subtrai a estima e a presença daqueles que mais amas, e aceitas a prova, compreendendo que os entes queridos podem ser felizes sem o teu devotamento, Deus te anestesiará o coração, a fim de que continues caminhando no rumo de alegrias maiores e mais belas do que quantas já conheceste.

À frente de quaisquer forças negativas, pensa no bem, desculpa e esquece, empenhando-te a construir e reconstruir em favor do melhor.

Ama compreendendo, para que possas realmente servir.

Em qualquer circunstância, recorda que Deus não nos abandona.

A cada novo dia, entrega-te a Deus e Deus te sustentará.

A aflição pode ser o preço do resgate, o recurso da dor que reajusta, o remédio que corrige ou o choque de retorno que redime, mas se modificares a tua aflição de lugar, no campo do próprio espírito, de certo, será ela transformada em processo da tua gloriosa sublimação.

resposta
fraternal

Solicitas uma orientação

para teus passos, guardando fadiga e abatimento.

Trazes contigo o cansaço e a desilusão, à maneira do viajor transviado na escuridão noturna, suspirando pelo retorno à bênção luminosa da madrugada.

Entretanto, quem se refere à orientação, diz harmonia e ajustamento.

E somente Jesus é bastante sábio para guiar-nos com segurança.

Refugia-te, no santuário da prece, e roga-Lhe inspiração.

Antes, porém, alija das sandálias o pó que trazes do caminho de nossos antigos enganos.

Perdoa a quem te feriu, recordando quantas vezes temos sido tolerados pela Misericórdia Divina.

Não retribuas mal por mal, compreendendo o imperativo do bem, para que a paz nos esclareça.

Lembra-te de que o trabalho é o dissolvente de nossas mágoas, e auxilia sem distinção, na certeza de que, na alegria dos outros, encontrarás alívio e consolação aos próprios pesares.

Não invejes a prosperidade alheia, porque ninguém sabe, na Terra, onde se oculta a verdadeira felicidade, de vez que, em muitas ocasiões, o palácio esconde chagas de treva e a choupana desguarnecida permanece aureolada de luz.

Solve tuas dívidas com o sorriso de quem se liberta. Mais valem o suor e as lágrimas no dever, que as vantagens transitórias na indiferença.

Rogas orientação para que a tranquilidade te favoreça.

Não olvides, no entanto, suplicar ao Senhor a força precisa para que te não desvencilhes da própria cruz... da cruz que te garante a necessária vitória espiritual para a vida que nunca morre.

Consagra-te ao serviço e à caridade, ao aperfeiçoamento de ti mesmo e à renúncia edificante.

Avança hoje na estrada pedregosa das obrigações retamente cumpridas e, amanhã, em te despedindo do corpo da Terra, teu coração, convertido em estrela de amor, será com Jesus um marco celeste orientando as almas perdidas, no vale das sombras, para que atinjam contigo a felicidade do Eterno bem.

aprendizado
de amor

Dá do que tens e do que és,

a benefício dos outros.

Se os outros não te compreendem, auxilia-os, mesmo assim.

Se te perseguem ou caluniam, continua fazendo o melhor em benefício deles.

Se te repelem, prossegue no esforço de ampará-los como puderes.

É assim que o amor começa e, onde o amor se faz presente, aí está Deus.

E onde Deus está nada falta, para que sejas feliz.

diante da rebeldia

Quando o espírito de rebeldia se te aproxime do coração, segregando frases como estas: "não adianta fazer o bem" ou "não mereces sofrer", aguça os ouvidos da própria alma para que possas recolher as grandes vozes inarticuladas da vida.

No alto, constelações que te habituaste a admirar, dizem-te no pensamento: "antes que o teu raciocínio nos visse a luz, já obedecíamos ao Supremo Senhor para servir", enquanto que a Terra te afirmará: "não és mais que um hóspede dos milhões que carrego há milênios". Em torno de ti a árvore falará: "esforço-me de janeiro a dezembro a fim de dar os meus frutos por alguns dias, em nome do Criador, entretanto, além disso, preciso tolerar o rigor ou a diferença das estações, aprendendo a memorizar". E o animal te confessará: "vivo debaixo do teu arbítrio e fazes de mim o que desejas, por séculos e séculos, porque devo sofrer-te as ordens, sejam quais sejam, para que eu possa, um dia, sentir como sentes e pensar como pensas".

Medita na tolerância maternal da natureza que transforma o carvão em diamante, através de décadas e décadas de silêncio, e traça caminho na pedra usando a persistência da gota d'água.

Contempla a peça de aço polido e reflete em que ela jamais seria o que é sem os golpes do fogo que lhe ajustaram os elementos, e, quando sacies a própria fome, dedica um instante de reconhecimento ao pão de que te serves, recordando que nunca lhe terias a bênção se a humildade não lhe caracterizasse a tarefa.

Não interpretes a disciplina por tirania e nem acuses a obediência de escravidão.

Trabalha e serve com alegria.

Oferece à paz de todos o concurso que a harmonia te pede.

Rebeldia é orgulho impondo cegueira ao coração.

Não há progresso sem esforço, vitória sem luta, aperfeiçoamento sem sacrifício, como não existe tranquilidade sem paciência.

Reflete na Infinita Bondade que preside o Universo, a cercar-nos de amor, em todas as direções, e reconheceremos que, se transformações dolorosas, no campo da existência, muita vez nos transfiguram em crisálidas agoniadas de aflição, ao impacto das provações necessárias, a dor é o instrumento invisível de que Deus se utiliza para converter-nos, a pouco e pouco, em falenas de luz.

na hora
da crítica

Salientamos a necessidade

de moderação e equilíbrio, ante os momentos menos felizes dos outros; entretanto, há ocasiões em que as baterias da crítica estão assestadas contra nós.

Junto de amigos, quanto de opositores, ouvimos objurgatórias e reprimendas e, não raro, tombamos mentalmente em revolta ou depressão.

Azedume e abatimento, porém, nada efetuam de construtivo. Em qualquer dificuldade, irritação ou desânimo apenas obscurecem situações ou complicam problemas.

Atingidos por acusação e censura, convém

estabelecer minucioso autoexame. Articulemos o intervalo preciso, em nossas atividades, a fim de orar e refletir, vasculhando o imo da própria alma.

Analisemos, sem a mínima compaixão por nós mesmos, todos os acontecimentos que nos ditam a orientação e a conduta, sopesando fatos e desígnios que motivaram as advertências em lide, com rigorosa sinceridade. Se o foro íntimo nos aponta falhas de nosso lado, tenhamos suficiente coragem a fim de repará-las, seja solicitando desculpas aos ofendidos ou diligenciando meios de sanar os prejuízos de que sejamos causadores. Entanto, se nos identificamos atentos ao dever que a vida nos atribui, se intenção e comportamento nos deixam seguros, quanto ao caminho exato que estamos trilhando em proveito geral e não em exclusivo proveito próprio, saibamos acomodar-nos à paz e à conformidade. E, embora reclamação e tumulto que cerquem, prossigamos adiante, na execução do trabalho que nos compete, sem desespero e sem mágoa, convencidos de que, acima do conforto de sermos imediatamente compreendidos, vige a tranquilidade de consciência, no cumprimento de nossas obrigações.

Aflige-te em procurar o bem, praticando-o com o teu coração, com a tua boca e com as tuas mãos e o mal não te surpreenderá em seus laços escuros.

mais vale

Mais vale sofrer que gerar

o sofrimento, de vez que todos quantos padecem, arremessados à vala da provação pela crueldade os outros, encontram em si mesmos os necessários recursos de reconforto e de reajuste, ao mesmo tempo que os empreiteiros do mal suportarão as lesões mentais que impõem a si mesmos, nos conflitos da consciência.

Mais vale arrastar os constrangimentos do escárnio que se nos atire em rosto que zurzir contra o próximo os látegos da ironia, porque as vítimas da injúria facilmente se apoiam na fé com que renovam as próprias forças, ao passo que os promotores do sarcasmo transportarão consigo o fel e o vinagre com que acidulam os sentimentos alheios.

Mais vale ser enganado que enganar, no trato da vida, porquanto as pessoas enganadas denotam alma simples e sincera, compreendendo-se que os enganadores andarão embrulhados na sombra a que se empenham toda vez que procurem enevoar a estrada dos semelhantes.

Mais vale ser criticado em serviço que criticar, de vez que os perseguidos por zombaria ou maledicência no trabalho respeitável a que se afeiçoam estão produzindo o bem que são capazes de realizar, entendendo-se que os censores ficam naturalmente na obrigação de fazer mais e melhor do que aqueles aos quais intentam levianamente reprovar.

Em matéria de decepções e desilusões, sempre que te vejas à frente daqueles que te ludibriam a confiança, lembra-te de Jesus e ora por eles, porque, enquanto os que choram lavam os olhos espirituais para a descoberta de novas trilhas de progresso e renovação, no campo da vida, os que fazem as lágrimas carregarão as correntes invisíveis da culpa, não se sabe até quando.

Não te esqueças de que Jesus afligiu-se em redimir-nos e iluminar-nos e, por isso mesmo, além da Cruz, é a claridade dos séculos a convocar-nos, através do sacrifício, para a glória sublime da ressurreição e do amor.

Emmanuel
(Espírito)

Emmanuel foi o dedicado

Guia Espiritual de Chico Xavier e Supervisor de sua obra mediúnica, que deu origem a mais de 400 livros, desdobrando a Codificação realizada por Allan Kardec.

Nessa obra literária, tornou-se o autor de maior produção, escrevendo 113 valiosos livros, sendo 7 em parceria e participou de dezenas de obras de Autores Diversos, com belas páginas evangélico-doutrinárias, prefaciando a maioria delas.

Aliando grande capacidade de análise e rara objetividade, prefaciou – prefácios que valem um livro... – numerosas outras obras mediúnicas, psicografadas por Chico Xavier, como todas de André Luiz, esclarecendo sabiamente os leitores e valorizando, sobremaneira, tais produções.

De sua autoria, destacamos os romances históricos, as obras que analisam tópicos do *Novo Testamento* e da Codificação Kardequiana, história da civilização vista do Mais Além, estudo do tríplice aspecto do Espiritismo e dois livros de cunho científico.

Do seu passado espiritual, sabemos que nos últimos 20 séculos, ele reencarnou várias vezes. Assim, o romance *Há 2000 Anos...* apresenta-nos a sua existência na figura do senador Públio Lentulus, autor da célebre carta endereçada ao Imperador romano, onde fez o retrato físico e moral de Jesus. E, em *50 Anos Depois* é Nestório, o escravo judeu de Éfeso, que teve a felicidade de conhecer o Evangelista João, tornando-se um cristão atuante nas catacumbas de Roma.

Posteriormente, Emmanuel vinculou-se, de coração, ao Brasil, a partir do século XVI, na figura do Padre Manuel da Nóbrega (1517-1570), primeiro apóstolo do Evangelho em nossa pátria.

(*Amor e Sabedoria de Emmanuel*, Clovis Tavares.)

Leia também

Meditações Diárias
Chico Xavier | André Luiz

Meditações Diárias
Chico Xavier | Bezerra e Meimei

Desde a publicação do livro Nosso Lar, em 1943, recebido pelo médium Chico Xavier, o seu autor espiritual, André Luiz, ficou muito conhecido, pois foi o primeiro de uma série de treze livros que, num estilo inconfundível, veio desvendar a vida no Plano Espiritual.

Mas além dessas obras, o Espírito André Luiz também enriqueceu a literatura espírita com suas mensagens esclarecedoras, de abordagem direta, nos chamando para a responsabilidade de nossos atos no dia-a-dia de nossa vida.

E este livro encerra uma coletânea de suas melhores mensagens, sempre em parceria com o grande médium Chico Xavier, proporcionando, ao prezado leitor, momentos de reflexão para uma vida mais feliz dentro dos preceitos do Cristianismo Redivivo.

ISBN: 978-85-7341-440-0 | *Mensagens*
Páginas: 160 | **Formato:** 14 x 21 cm

Adolfo BEZERRA DE MENEZES Cavalcanti foi médico em sua última encarnação e dedicado trabalhador em torno da unificação espírita. Mas foram nas atitudes que foi identificado como um verdadeiro cristão; desapegado nas questões materiais e preocupado em auxiliar e amparar os mais necessitados, ficou sendo conhecido como "o médico dos pobres", continuando, na espiritualidade, todo o seu legado de Apóstolo da Caridade junto aos mais humildes.

Irma de Castro Rocha, MEIMEI, na última encarnação, e Blandina, no ano 75, dedicada trabalhadora no amparo e instrução infantil, para as luzes do Evangelho, dedica-se, como Espírito, a intenso trabalho em prol das crianças e dos enfermos.

E este livro encerra uma coletânea de textos desses abnegados benfeitores, sempre em parceria com o grande médium Chico Xavier, proporcionando, ao prezado leitor, momentos de reflexão para uma vida mais feliz dentro dos preceitos do Cristianismo Redivivo.

ISBN: 978-85-7341-461-5 | *Mensagens*
Páginas: 96 | **Formato:** 14 x 21 cm

idelivraria.com.br

Pratique o "Evangelho no Lar"

Aponte a câmera do celular e faça download do roteiro do **Evangelho no lar**

Ide editora é nome fantasia do Instituto de Difusão Espírita, entidade sem fins lucrativos.

◯ ideeditora   f ide.editora   🐦 ideeditora

◀◀ DISTRIBUIÇÃO EXCLUSIVA ▶▶

Av. Porto Ferreira, 1031 | Parque Iracema
CEP 15809-020 | Catanduva-SP
📞 17 3531.4444   © 17 99257.5523

◯ boanovaed
▶ boanovaeditora
f boanovaed
🌐 www.boanova.net
✉ boanova@boanova.net

Fale pelo whatsapp

Acesse nossa loja